迪士尼 我会自己读 第1级

尼莫朋友多

童趣出版有限公司编　人民邮电出版社出版

北　京

缓步出发大步走

儿童阅读的作用和意义，家长们已经达成共识，不再需要热烈讨论。不过，家长们还是有一些普遍困惑，例如，孩子在幼儿园要不要识字？通过什么方式识字？孩子在幼儿园不识字能否应对小学之初的压力？如何处理父母读和自主读的关系？阅读兴趣和语言学习如何兼顾？

这套书正是为了解答上述疑惑而编写的。编写者希望在儿童阅读的纷繁流派中，坚持一些基本观点，探索中国孩子学习阅读的独特途径。这些观点主要如下：一、早期阅读要把阅读兴趣的培养放到最重要的位置来考虑；二、通过这套书让孩子在幼儿园认识 400 个常用字，为小学阶段的学习减轻压力和奠定基础；三、不鼓励父母用识字卡片的方式教孩子识字，把生字放到故事中更有意义；四、在小学三年级的阅读关键期，实现孩子自主阅读；五、幼儿园阶段既鼓励亲子阅读，又鼓励孩子自主阅读。由此，这套书主要有如下特点：

科学性。从选择高频、简单、构词能力强的字先认，到通过各种方式复现，再到故事内容的打磨，最后培养出优秀的阅读者。从分级阅读的角度，综合考虑生字、生词、句子长度、主题深浅等多个因素，编写出难度递增的故事。

趣味性。选择了迪士尼的漫画人物和漫画故事作为主要内容，降低阅读难度，增强阅读趣味。由于有识字的安排，创作故事犹如"戴着镣铐跳舞"，但故事仍然精彩十足，劲道十足。

功能性。把识字放在重要位置，同时兼顾文学性。和时下流行的图画书不同，本套书把学习功能放到重要位置。希望通过有趣的故事，让孩子认识汉字，早日实现自主阅读。

希望通过这套书，帮助孩子在阅读之路上缓缓起步，培养自信，锻炼能力，然后再大步流星，一路前行，成为趣味高雅、兴趣充盈的阅读者！

王林（儿童阅读专家）

尼莫朋友多

一天，来找爸爸。

尼莫

"爸爸，我去看我的朋友。"

"好的。你去吧。"

尼莫 高高兴兴地去了。

尼莫 去看好朋友 多莉。

尼莫 去看两只 螃蟹

11

去看三只小。

尼莫　　　　　　　　　海龟

尼莫 去看四只小 海马。

13

去看五个 水母 。

尼莫　　　　　　　水母

去看六条。

尼莫　　　　　　　　　　鰻鱼

尼莫 去看七只 章鱼。

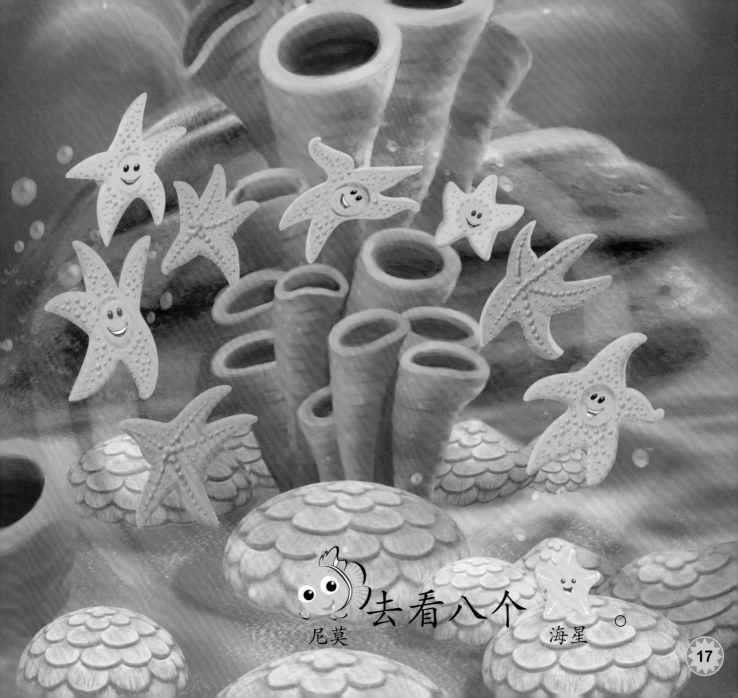

去看八个 海星 。

尼莫 海星

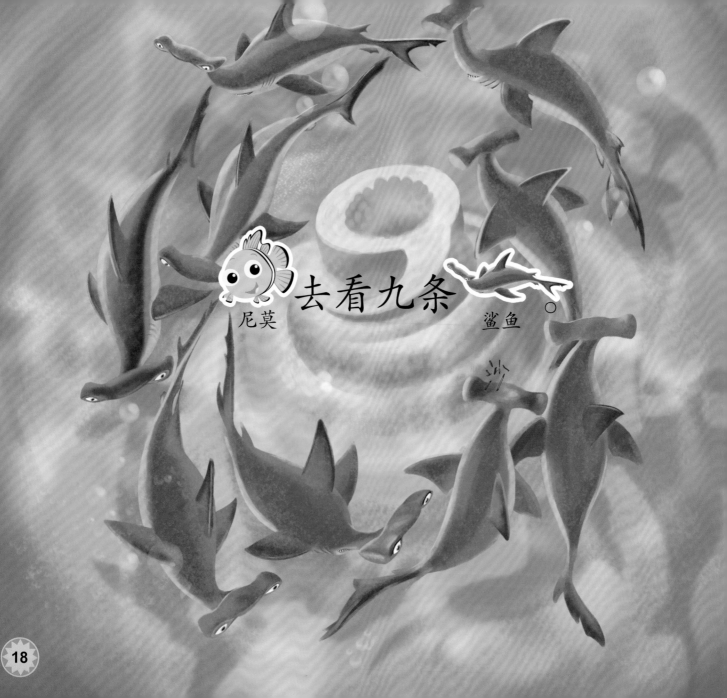

尼莫 去看九条 鲨鱼 沙 。

去看十只 海虾 。
尼莫
尼莫 的朋友好多啊！

"我的朋友多，
五十五六个。"

21

"小个儿多，大个儿少。"

"我爱你，你爱我。"

春天来了，出来玩儿吧！

"跟我来！看看大家找到了什么。"

尼莫，你来看看
我找到了什么。

啊！我看到了！

尼莫 ，你来看看
我找到了什么。

多好看啊！

尼莫，你来看看我找到了什么。

多好玩儿啊！

尼莫，上来看看吧！

啊！好大啊！

尼莫，下去看看吧！

你看！我找到的！

尼莫，上来看看吧！

你看！我找到的！

尼莫

，我找到了一个好玩儿的！

啊！我上去了！

尼莫，我的好朋友，来看看我找到什么了。

啊！我看到了天，看到了地，看到了春天！

43

游戏测试页

尼莫和他的好朋友们在玩儿方阵的游戏，现在他们要摆出"天"和"下"的方阵，一起来参与吧！将相同的海洋动物连起来，看看会有什么发生吧！

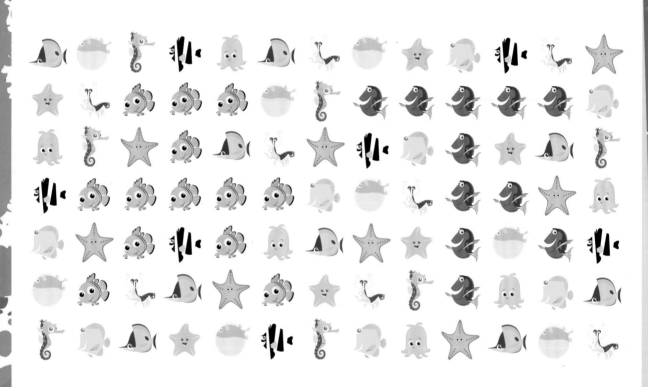

尼莫想要给下面的每个字都找个朋友，你能帮帮他吗？

爸　你　两　出

个　我　妈

去

下面的句子你会读吗？每读对一句就
把它旁边的☆涂上颜色吧！

☆ 我的朋友多，五十五六个。

☆ 小个儿多，大个儿少。

☆ 多好看啊！

☆ 我上去了。

超范围字

a	tiáo	shén	me	gēn	ba
啊	条	什	么	跟	吧

一	二	三	四	五	六	七	八
九	十	两	上	下	大	小	多
少	花	草	天	地	春	鸟	朋
友	出	去	到	来	看	吃	笑
找	爱	玩	早	个	儿	了	只
的	不	高	兴	好	我	你	
爸	妈	家					

尼莫的故事真好看，我还想看！下面的小书你都看过了吗？看过了就在书的旁边打个"√"，没有看过的快去看吧！

专家小贴士

建议孩子同一级别的书多读几本，提高重点字的复现率，便于孩子强化巩固已认生字。

本册重点字

一	三	四	五	六	七	八	九
十	两	上	下	大	小	多	少
个	天	地	春	朋	友	出	去
到	来	看	找	爱	玩	儿	了
只	的	高	兴	好	我	你	爸
家							

亲爱的_____小朋友：

　　恭喜你自己读完了这两个小故事。你获得了尼莫发给你的"我会自己读"第1级荣誉证书，你还获得了一颗红星星哟！

我会自己读兴趣小组

_____年___月___日

爸爸妈妈的签名_____